WELCOME TO
MONSTER HIGH™

BIENVENUE
À MONSTER HIGH™

It may seem weird that a bunch of swamp monsters, vampires, and mummies all ended up at school together. But for a ghoul named Draculaura and her friends, weird is normal!
Cela peut paraître étrange qu'un groupe de monstres des marais, vampires et momies se soient tous retrouvés dans la même école. Mais pour une goule prénommée Draculaura et ses amies, ce qui est étrange est tout à fait normal !

THAT'S BECAUSE THEY ALL GO TO MONSTER HIGH!

PARCE QU'ELLES FRÉQUENTENT TOUTES MONSTER HIGH !

Draculaura and her pet spider, Webby, lived with her father, Dracula, in a house on Monster Hill. The young vampire and her father had to keep themselves hidden from the outside world because of her dad's rule:
"Stay away from humans! They're just not ready to accept us yet."
"But, Dad!" Draculaura said.
"Promise me. Vamp's honor?"
"Ugh! I promise," she replied.
This made it quite difficult for Draculaura to make friends.
In fact, it made it impossible.

Draculaura vivait avec son père, Dracula, et son araignée de compagnie, Webby, dans un manoir sur Monster Hill. La jeune vampire et son père devaient se cacher du monde à cause de la règle qu'il lui imposait :
« Reste à l'écart des humains ! Ils ne sont pas encore prêts à nous accepter. »
« Mais, papa ! » dit Draculaura.
« Promets-le moi. Parole de vampire ? »
« Pff ! Je te le promets », répondit-elle.
Pour cette raison, Draculaura avait du mal à se faire des amis. À vrai dire, c'était même impossible.

That night, Draculaura was practicing flying with her dad. At first, she had trouble transforming into a bat, but she soon got the hang of it and was flying around town. She passed a billboard for her idol, Tash!

"Can I go to her concert?" she begged her dad. "All the normal girls love her! She's **creeptastic!**"

"It's too dangerous, Drac," he said. "Monsters don't belong in the human world. Now, let's get home before someone sees you!" They were too close to Normie Town.

Ce soir-là, Draculaura s'entraînait à voler avec son père. D'abord, elle avait éprouvé des difficultés pour se transformer en chauve-souris, mais bientôt, elle en prit l'habitude et se mit à voler dans toute la ville. Elle passa devant une affiche de son idole, Tash !

« Je peux aller à son concert ? supplia-t-elle. Toutes les filles normales l'adorent ! Elle est **sangtastique** ! »

« C'est trop dangereux, Drac, lui dit-il. Les monstres ne font pas partie du monde des humains. Maintenant, rentrons à la maison avant que quelqu'un te voie ! »

Ils étaient trop près de Normie Town.

Drac was tired of feeling alone. She posted a video for all the world to see: "I'm almost sixteen hundred years old. I'll be stuck alone forever, hidden from the world! Is anyone even listening?" she asked. They weren't.
0000000
Drac en avait assez de se sentir seule. Elle posta une vidéo que le monde entier pouvait voir : « J'ai presque seize cents ans. Je resterai à jamais toute seule, cachée du monde ! Est-ce que quelqu'un m'entend ? » demanda-t-elle. Mais il n'y avait personne.

Drac could not have felt lonelier… and then the doorbell rang for the first time in one hundred fifty years. It was a young ghoul!

"I'm Frankie," she said. "My pops is Frankenstein. After the great monster Fright Flight, he went into hiding like all the other monsters," she explained. Dracula invited Frankie in for some tea.

"Thanks, Mr. D. It's really lovely of you to have me stay here."

"She can share my bedroom," Draculaura quickly added.

"No! Absolutely n-" Too late. The ghouls were already best friends.

Drac se sentait terriblement seule… soudain, la sonnette de la porte d'entrée retentit, pour la première fois depuis cent cinquante ans. C'était une jeune goule !
« Je m'appelle Frankie, dit-elle. Mon papa, c'est Frankenstein. Après la grande Peur Générale, il est allé se cacher comme les autres monstres », expliqua-t-elle. Dracula invita Frankie à boire le thé.
« Merci, Monsieur D. C'est très gentil de votre part de m'accueillir ici. »
« Elle pourrait partager ma chambre », s'empressa d'ajouter Draculaura.
« Non ! Hors de ques… » Trop tard. Les goules étaient déjà les meilleures amies du monde.

Drac and Frankie talked and talked!
"Hiding alone is so boring," Frankie said.
"Tell me about it!" Drac said.
"Let's listen to Tash, my favorite pop star!"
"Who's Tash?" asked Frankie.
"JUST THE COOLEST, MOST CLAWESOME ROCKER EVER!"
Drac et Frankie bavardèrent sans s'arrêter !
« Se cacher dans son coin, c'est tellement ennuyeux », dit Frankie.
« Ne m'en parle pas ! répondit Drac. Écoutons une chanson de Tash, ma star préférée ! »
« C'est qui, Tash ? » demanda Frankie.
« C'EST LA ROCK-STAR LA PLUS COOL ET LA PLUS MONSTRACULAIRE DU MONDE ! »

"Oh, Tash is human—a normie," said Frankie. The ghouls talked about their dreams of what a normal life would look like. "They throw parties and fang out in coffee shops. Wouldn't it be great if monsters could go to a real school just for us?" Drac sat up. "Let's do it. We'll call it MONSTER HIGH! All we need are students!"
« Oh, Tash est humaine... elle est normale », dit Frankie. Les goules discutèrent de leurs rêves et de ce qu'une vie normale pouvait être. « Ils font des fêtes et sortent dans des cafés. Ce ne serait pas atrocement génial si les monstres pouvaient fréquenter une véritable école, juste pour nous ? »
Drac se redressa. « Nous allons le faire ! Nous l'appellerons MONSTER HIGH ! Tout ce qu'il nous faut, ce sont des élèves ! »

That night, Frankie and Draculaura went in search of their first classmate. They searched back alleys and trashcans until they came to the moors—the perfect hiding place for a monster! Soon they were face-to-face with a scary pack of wolves.
"You're a werewolf!" said Frankie. "We're looking for other monsters, like us."
"I'm Clawdeen," said the ghoul after she transformed from her wolf-form, "and these are my brothers and my mother." Drac invited them to Monster High.

Ce soir-là, Frankie et Draculaura se mirent à la recherche de leur première camarade de classe. Elles fouillèrent les ruelles et les poubelles, et finirent par arriver sur la lande – la cachette idéale pour un monstre ! Bientôt, elles se retrouvèrent face à face avec une meute de loups effrayants.
« Tu es une louve-garou ! dit Frankie. Nous cherchons d'autres monstres comme nous. »
« Je m'appelle Clawdeen, dit la goule après avoir quitté sa forme de loup. Et voici mes frères et ma mère. »
Drac les invita à Monster High.

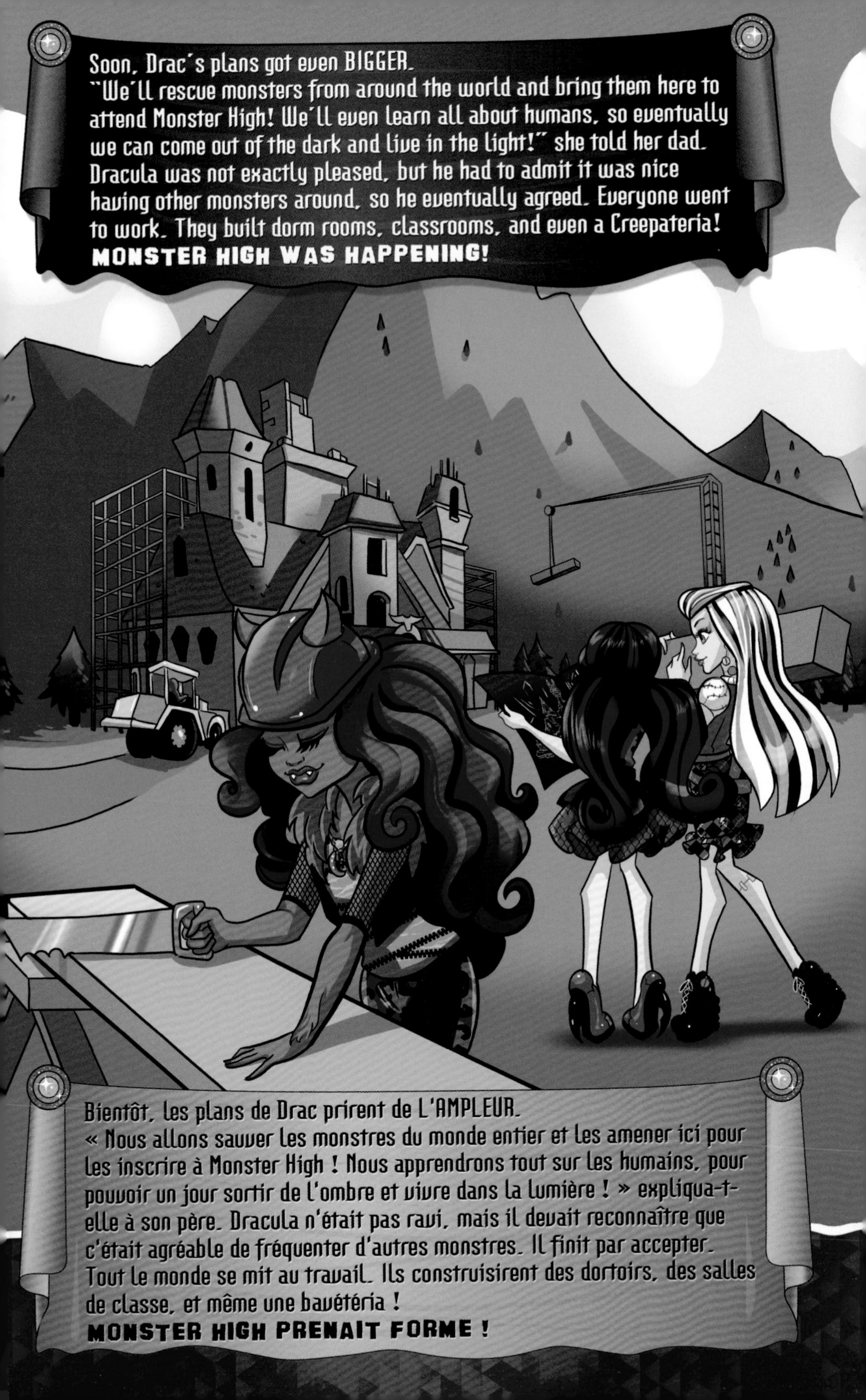
Soon, Drac's plans got even BIGGER.
"We'll rescue monsters from around the world and bring them here to attend Monster High! We'll even learn all about humans, so eventually we can come out of the dark and live in the light!" she told her dad. Dracula was not exactly pleased, but he had to admit it was nice having other monsters around, so he eventually agreed. Everyone went to work. They built dorm rooms, classrooms, and even a Creepateria!
MONSTER HIGH WAS HAPPENING!
Bientôt, les plans de Drac prirent de L'AMPLEUR.
« Nous allons sauver les monstres du monde entier et les amener ici pour les inscrire à Monster High ! Nous apprendrons tout sur les humains, pour pouvoir un jour sortir de l'ombre et vivre dans la lumière ! » expliqua-t-elle à son père. Dracula n'était pas ravi, mais il devait reconnaître que c'était agréable de fréquenter d'autres monstres. Il finit par accepter. Tout le monde se mit au travail. Ils construisirent des dortoirs, des salles de classe, et même une bavétéria !
MONSTER HIGH PRENAIT FORME !

Monster High was finished! Now they just needed more students.
"Where are our monsters?" Drac asked Frankie.
"Not on the normal Internet," she answered. "You gotta use the Monster Web!"
"THERE'S A MONSTER WEB?" Drac asked.
Monster High était enfin terminé ! À présent, il leur manquait juste d'autres élèves.
« Où sont nos monstres ? » demanda Drac à Frankie.
« Pas sur l'internet normal, répondit-elle. Tu dois utiliser le web des monstres ! »
« IL EXISTE UN WEB DES MONSTRES ? » s'exclama Drac.
Frankie sent a message on the Monster Web. This time everyone listened!
"The monsters are coming!" Clawdeen squealed.
"Monster High has students!"
Frankie envoya un message sur le web des monstres. Cette fois, tout le monde l'écouta !
« Les monstres arrivent ! s'écria Clawdeen.
Monster High a des élèves ! »

Drac realized she couldn't bring one million monsters to the school. "You need the 'Monster Mapalogue,'" Dracula told her. "Monsters once used it to find one another. But when they started hiding from humans during the great Fright Flight, it wasn't needed anymore—"
"—until now!" Draculaura added.
Drac se rendit compte qu'elle ne pouvait pas faire venir un million de monstres à l'école. « Tu as besoin du "Cartalogue des Monstres", lui expliqua Dracula. Autrefois, les monstres s'en servaient pour se retrouver. Mais quand ils ont commencé à se cacher des humains lors de la grande Peur Générale, il est devenu inutile... »
« ... jusqu'à maintenant ! » ajouta Draculaura.

Dracula explained how it worked:
"Hold the skullette, then say the name of the monster you want to find and the magic words
EXSTO MONSTRUM!
Oh, and always wear a helmet!"

Dracula expliqua son fonctionnement :
« Tenez le skullette, puis prononcez le nom du monstre que vous voulez trouver, ainsi que les mots magiques :
EXSTO MONSTRUM !
Oh, et portez toujours un casque ! »

The first monster on their list was Cleo de Nile from Egypt.
"Cleo... exsto... monstrum!" the ghouls said. It took a few seconds, then POOF!
They disappeared!

Le premier monstre sur leur liste était Cleo de Nile, en Égypte.
« Cleo... exsto... monstrum ! » dirent les goules. Au bout de quelques secondes, POUF !
Elles disparurent !

The ghouls landed in a pyramid
and soon found Cleo de Nile!
"It's been a thousand years since
I've had friends!" Cleo said.
"Fangtastic!" said Drac.
"Clawesome!" said Clawdeen.
"Come with us to Monster High,"
Frankie added.
Les goules atterrirent dans une
pyramide et ne tardèrent pas à
trouver Cleo de Nile !
« Cela fait un millier d'années que
je n'ai pas eu des amis ! » dit Cleo.
« Sangtastique ! » fit Drac.
« Mordifiant ! » dit Clawdeen.
« Viens avec nous à Monster High »,
ajouta Frankie.
Next they searched for Lagoona Blue.
"Lagoona exsto monstrum!" they
chanted. POOF!
When they landed, they saw Lagoona
riding her surfboard like a pro!
"Oy mates, g'day!" she said. Soon
Drac and Frankie found classmates
all over the world!
Ensuite, elles cherchèrent Lagoona Blue.
« Lagoona exsto monstrum ! »
récitèrent-elles. POUF !
Lorsqu'elles atterrirent, elles virent
Lagoona sur son surf, comme une pro !
« Salut les filles, ça va ? » dit-elle.
Bientôt, Drac et Frankie trouvèrent des
camarades de classe dans le monde entier !

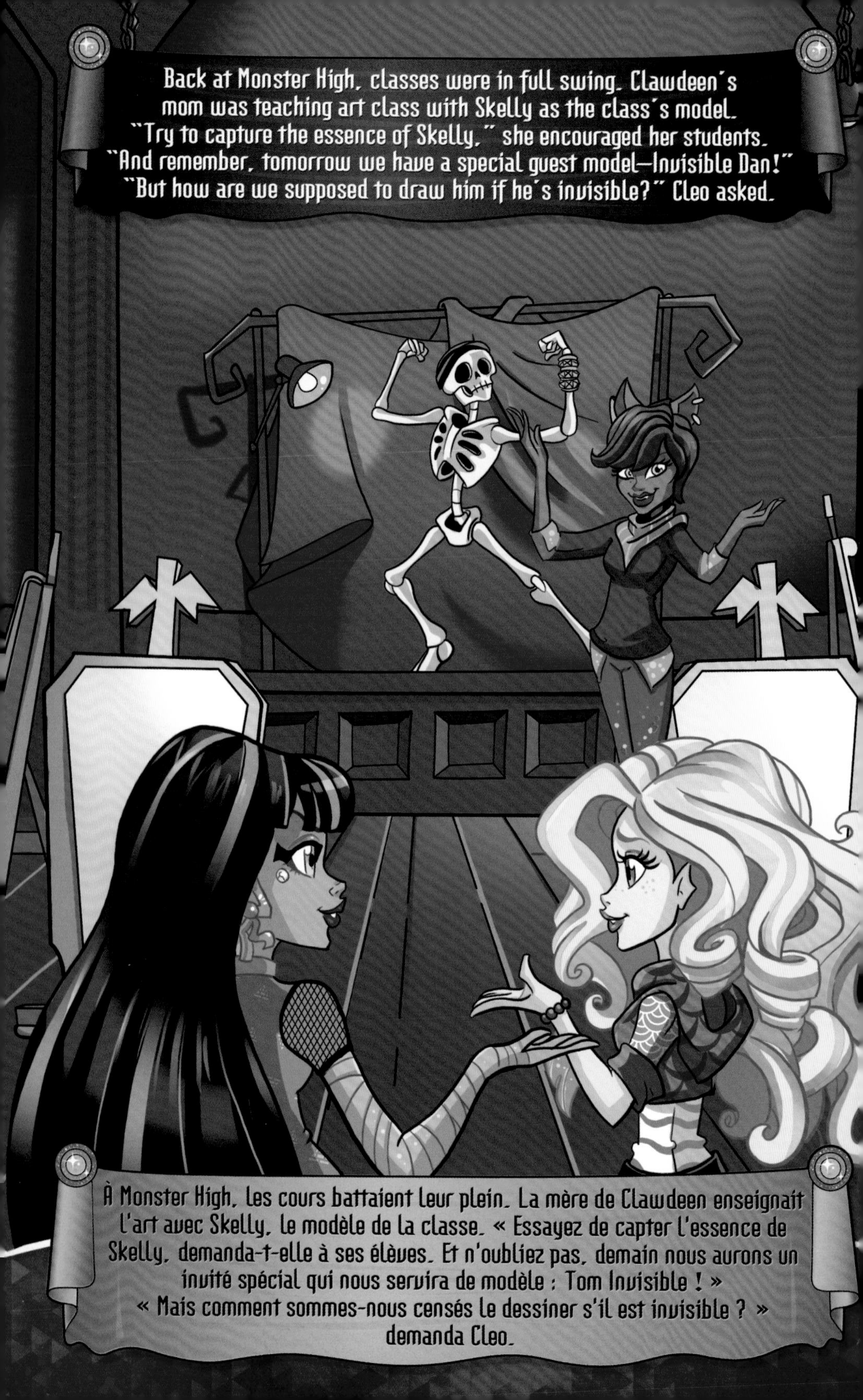
Back at Monster High, classes were in full swing. Clawdeen's mom was teaching art class with Skelly as the class's model. "Try to capture the essence of Skelly," she encouraged her students. "And remember, tomorrow we have a special guest model—Invisible Dan!" "But how are we supposed to draw him if he's invisible?" Cleo asked.
À Monster High, les cours battaient leur plein. La mère de Clawdeen enseignait l'art avec Skelly, le modèle de la classe. « Essayez de capter l'essence de Skelly, demanda-t-elle à ses élèves. Et n'oubliez pas, demain nous aurons un invité spécial qui nous servira de modèle : Tom Invisible ! » « Mais comment sommes-nous censés le dessiner s'il est invisible ? » demanda Cleo.

Meanwhile, Dracula was teaching his Humanology class.
He held up a dollar bill in front of his students.
"Can anyone tell me what humans use this for?"
"Hey, I know!" Venus answered. "It's one of those things
humans hold to their nose when it leaks!"
"That's a tissue," Dracula responded. "Anyone else?"
The students still had a lot to learn.
Pendant ce temps, Dracula enseignait l'humanologie.
Il brandit un billet d'un dollar devant ses élèves.
« Quelqu'un peut-il me dire comment les humains utilisent ceci ? »
« Moi, je sais ! répondit Venus. C'est l'une de ces choses que les
humains mettent sur leur nez quand il coule. »
« Ça, c'est un mouchoir, répondit Dracula. Quelqu'un d'autre ? »
Les élèves avaient encore beaucoup à apprendre.

Monster High was getting so big, Drac thought her dad needed more help. She and Frankie decided to run for co-class presidents. And so the campaign began...
Monster High devenait si important que Drac se dit que son père avait besoin d'aide. En compagnie de Frankie, elle décida de se présenter aux élections des délégués de classe. Ainsi, la campagne commença...
"A vote for Frankie and Drac is a vote for monsters everywhere!" Drac told her classmates. "Plus, we're the only ones running," added Frankie.
« Un vote pour Frankie et Drac, c'est un vote pour les monstres du monde entier ! » expliqua Drac à ses camarades.
« Et puis, nous sommes les seules à nous présenter », ajouta Frankie.

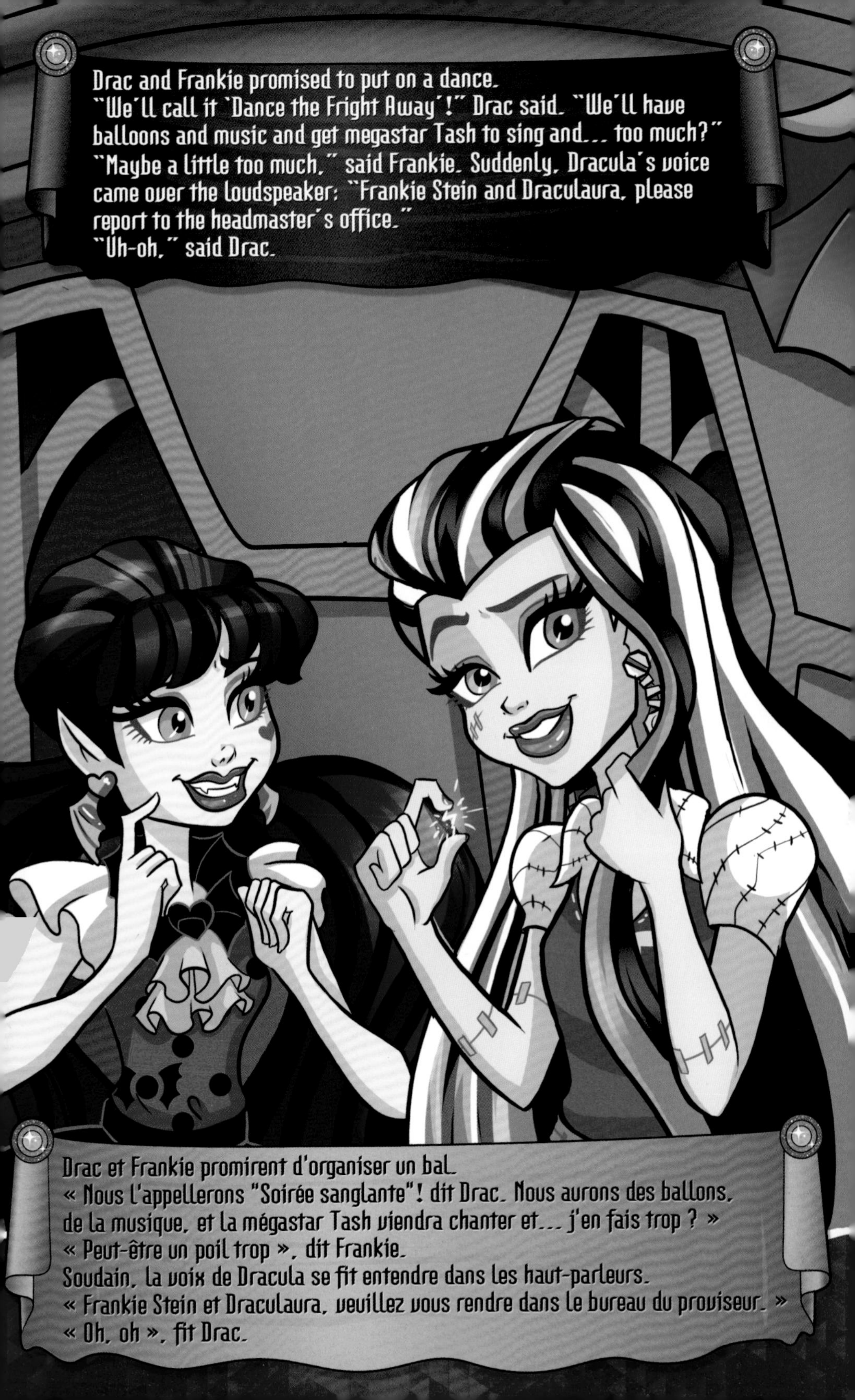
Drac and Frankie promised to put on a dance.
"We'll call it 'Dance the Fright Away'!" Drac said. "We'll have balloons and music and get megastar Tash to sing and... too much?"
"Maybe a little too much," said Frankie. Suddenly, Dracula's voice came over the loudspeaker: "Frankie Stein and Draculaura, please report to the headmaster's office."
"Uh-oh," said Drac.
Drac et Frankie promirent d'organiser un bal.
« Nous l'appellerons "Soirée sanglante"! dit Drac. Nous aurons des ballons, de la musique, et la mégastar Tash viendra chanter et... j'en fais trop ? »
« Peut-être un poil trop », dit Frankie.
Soudain, la voix de Dracula se fit entendre dans les haut-parleurs.
« Frankie Stein et Draculaura, veuillez vous rendre dans le bureau du proviseur. »
« Oh, oh », fit Drac.

"This is a secret monster high school," Dracula said. "Tash is not a monster!" "Dad didn't say no to the dance," Drac whispered to Frankie. "That's like saying yes!"
« C'est un lycée pour monstres secret, dit Dracula. Tash n'est pas un monstre ! » « Papa n'a pas dit non pour le bal, chuchota Drac à Frankie. Autant dire qu'il est d'accord. »
Suddenly, Clawdeen and Cleo rushed in. "Ghouls! There's a monster off the grid," Clawdeen cried. "Her name's Moanica D'Kay," added Cleo. "She hasn't spoken to a monster in years!"
Soudain, Clawdeen et Cleo firent leur entrée. « Les goules ! Il existe un monstre inconnu sur le réseau », s'écria Clawdeen. « Elle s'appelle Moanica D'Kay, ajouta Cleo. Elle n'a parlé à aucun monstre depuis des années ! »

On their journey to find Moanica, the ghouls found themselves in a cemetery in South America. Soon zombies crept out and surrounded the ghouls!
"WHO DARES COME INTO MY CEMETERY?"
demanded Moanica, who was the leader of the zombies.
"You sure we're in the right place?" Lagoona asked.
Les goules partirent à la rencontre de Moanica et se retrouvèrent dans un cimetière d'Amérique du Sud. Soudain, des zombies surgirent et encerclèrent les goules !
« QUI OSE ENTRER DANS MON CIMETIÈRE ? » demanda Moanica, le chef des zombies.
« Vous êtes sûres que nous sommes au bon endroit ? » demanda Lagoona.

Drac invited Moanica to Monster High to meet ghouls just like her.
"I'm not going anywhere and neither are you!" Moanica told them. "We've already taken this cemetery back from the humans. Next, we'll conquer the entire human world!"
Drac invita Moanica à Monster High pour qu'elle rencontre des goules comme elle.
« Je n'irai nulle part, et vous non plus ! leur dit Moanica. Nous avons déjà repris ce cimetière aux humains. Maintenant, nous allons conquérir le monde entier ! »

Moanica's army of Zomboyz attacked! The ghouls sprang into action.
They kicked, clawed, and fought them all off!
L'armée de Zomboyz de Moanica attaqua ! Aussitôt, les goules réagirent. Elles donnèrent des coups de pied et de griffe, et réussirent à tous les vaincre !

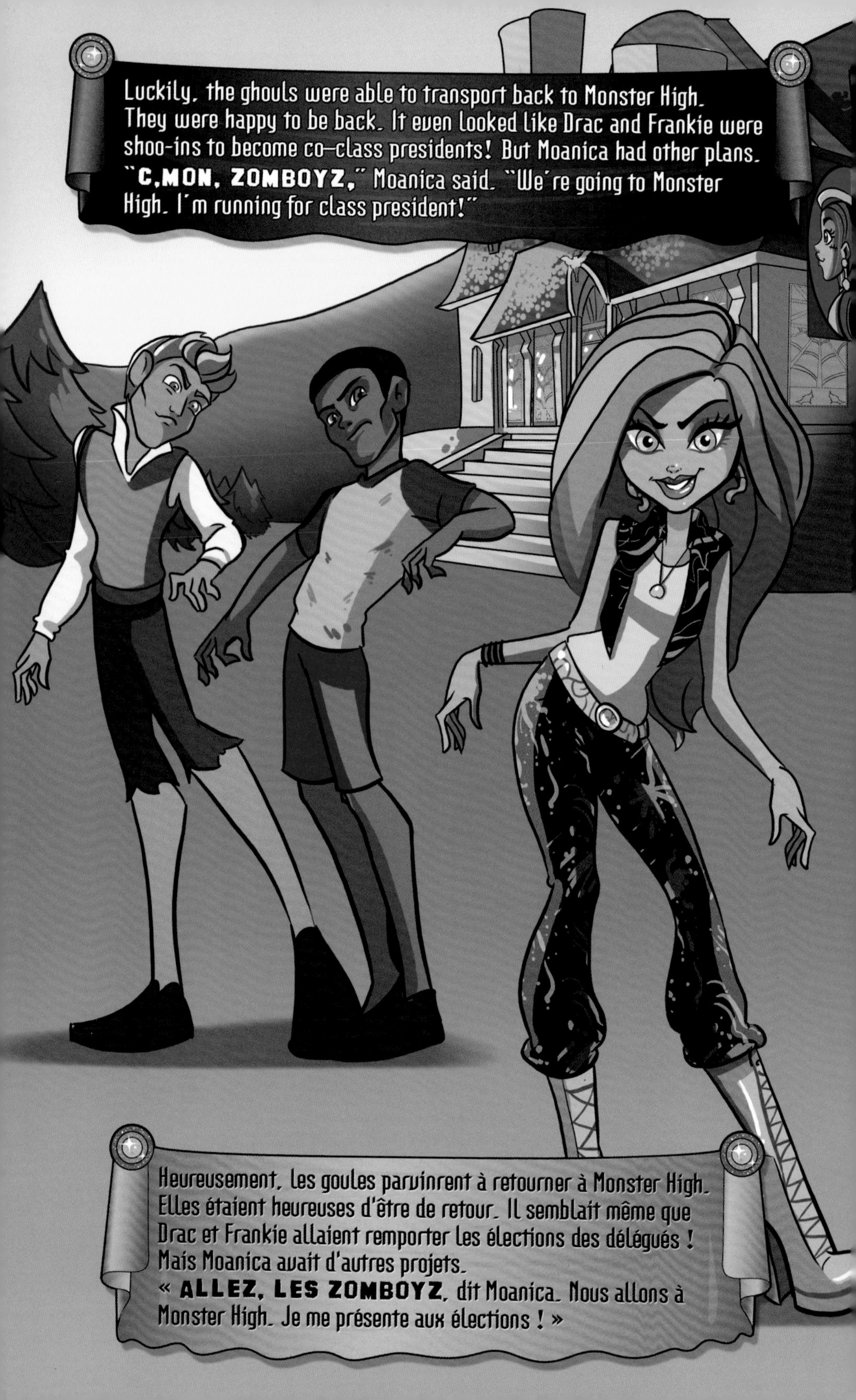
Luckily, the ghouls were able to transport back to Monster High. They were happy to be back. It even looked like Drac and Frankie were shoo-ins to become co-class presidents! But Moanica had other plans.
"C,MON, ZOMBOYZ," Moanica said. "We're going to Monster High. I'm running for class president!"
Heureusement, les goules parvinrent à retourner à Monster High. Elles étaient heureuses d'être de retour. Il semblait même que Drac et Frankie allaient remporter les élections des délégués ! Mais Moanica avait d'autres projets.
« ALLEZ, LES ZOMBOYZ, dit Moanica. Nous allons à Monster High. Je me présente aux élections ! »

Moanica was ready to campaign.
"You can vote for Frankie and Drac, the monsters who hide!" she called to the crowd. "Or you can vote for Moanica D'Kay, the monster with pride! Drac and Frankie want to be friends with that normie pop star, Tash. But she'll take one look at your monster faces and scream! She'll never come to your dance. I'm so sure, I'll drop out of the race if she does."
"Then I'll make sure she comes!" Drac promised.

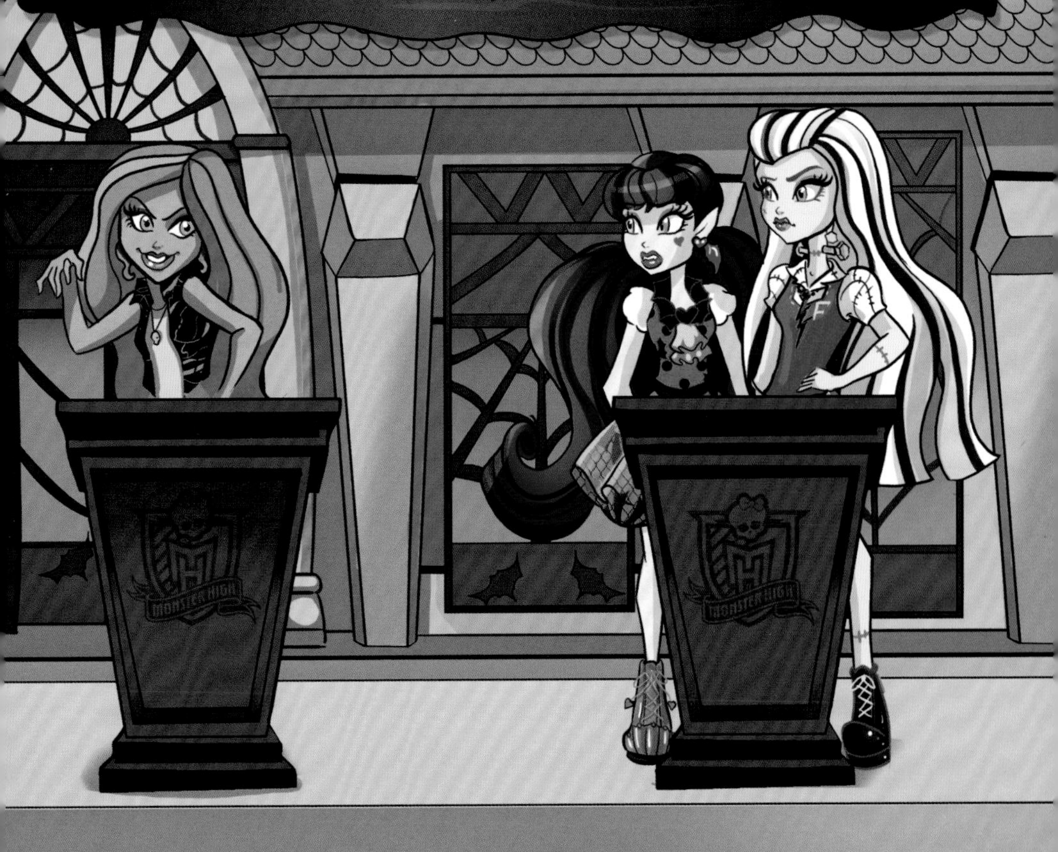

Moanica était prête à faire campagne.
« Vous pouvez voter pour Frankie et Drac, les monstres qui se cachent ! lança-t-elle à la foule. Ou vous pouvez voter pour Moanica D'Kay, le monstre fier ! Drac et Frankie veulent être amies avec cette star normale, Tash. Mais une fois qu'elle aura vu vos visages de monstres, elle hurlera ! Elle ne viendra jamais à votre bal. Je n'en doute pas, je suis même prête à me retirer si elle accepte. »
« Alors je ferai tout pour qu'elle vienne ! » promit Drac.

That night, Drac and her ghoulfriends created a distraction in front of Tash's tour bus. Draculaura knocked on the window. "I'm your biggest fan!" Drac said with a fangtastic smile. "You're a... you've got to get out of here!" Tash said. When Drac wouldn't go, Tash screamed!
Ce soir-là, Drac et ses amies goules firent une diversion pour arrêter le bus de tournée de Tash. Draculaura frappa à la vitre. « Je suis votre plus grande fan ! » dit Draculaura en affichant un sourire sangtastique.
« Tu es un... va-t'en ! » dit Tash.
Comme Drac ne partait pas, Tash se mit à hurler !

"Maybe Moanica was right," a sad Drac told Frankie. "Maybe monsters and humans aren't meant to live together!"
"I think you should come downstairs," Frankie told her friend.
« Moanica avait peut-être raison, dit Drac, toute triste, à Frankie. Peut-être que les monstres et les humains ne sont pas faits pour vivre ensemble ! »
« Je crois que tu devrais descendre », répondit Frankie à son amie.
"You have a dance to put on, Miss Co-Class President! We won!" said Frankie.
"The students believe in you," Cleo said.
« Tu as un bal à préparer, Mademoiselle la Déléguée de classe ! Nous avons gagné ! » dit Frankie.
« Les élèves croient en vous », dit Cleo.

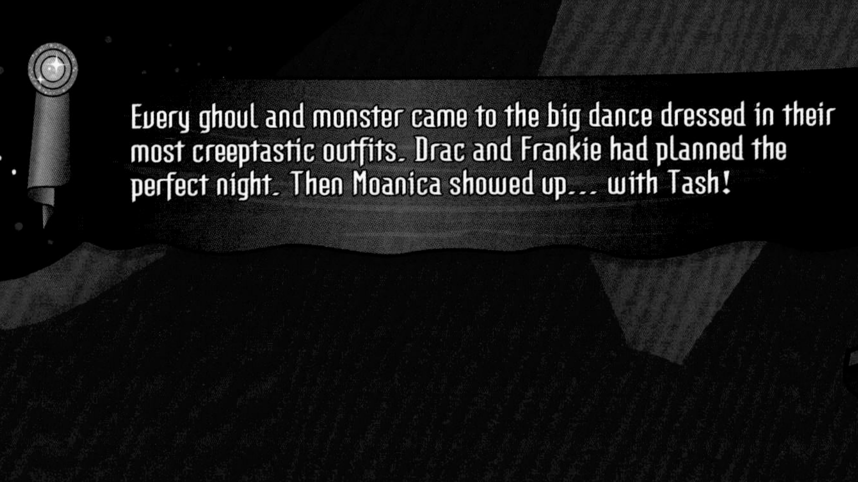

Toutes les goules et tous les monstres étaient présents lors du grand bal, vêtus de leurs tenues les plus sangsationnelles. Drac et Frankie avaient organisé une soirée parfaite. C'est alors que Moanica fit son apparition... avec Tash !

"I'm going to turn Tash into one of us!"
said Moanica with an evil laugh.
"LET HER GO!" Drac cried.
« Je vais transformer Tash pour qu'elle
devienne comme nous ! » dit Moanica
avec un sourire cruel.
« LÂCHE-LA ! » s'écria Drac.

"You can't stop my army!" Moanica hissed. But Drac and the ghouls knew what to do. "Moanica exsto monstrum!" they said. POOF! The ghouls disappeared and CRASH! They landed right on top of Moanica, knocking her away from Tash.
« Vous ne pouvez pas arrêter mon armée ! » siffla Moanica. Mais Drac et les goules savaient quoi faire. « Moanica exsto monstrum ! » dirent-elles. POUF ! Les goules disparurent et CRAC ! Elles atterrirent sur la tête de Moanica, qui lâcha Tash sous le choc.

"We won't let you do this!" Drac shouted.
"We'll see about that!" said Moanica as she jumped at Tash... but Moanica went straight through her! Everyone gasped. Tash was a ghost! She was a monster just like them!
"My real name's Ari Hauntington," the singing star told Drac and the ghouls. "I made up Tash to fit in. I was so lonesome... until now! How can I make it up to you for lying?"
"You can sing at our very first school dance!" said Drac.

« Nous ne te laisserons pas faire ! » s'exclama Drac.
« C'est ce que nous verrons ! » dit Moanica en sautant sur Tash... mais Moanica passa à travers elle ! Tout le monde sursauta. Tash était un fantôme ! C'était un monstre comme eux !
« Mon vrai prénom est Ari Hauntington, expliqua la star à Drac et aux goules. J'ai inventé Tash pour m'intégrer. Je me sentais si seule... jusqu'à maintenant ! Comment puis-je me faire pardonner de vous avoir menti ? »
« Tu peux chanter à notre tout premier bal de l'école ! » dit Drac.

Sure, monsters weren't quite ready to live side-by-side with humans. But they were coming out of the dark one step at a time! And that's the story of a girl named Draculaura and Monster High!

Bien sûr, les monstres n'étaient pas tout à fait prêts à vivre aux côtés des humains. Mais ils sortaient de l'ombre un pas après l'autre ! C'était l'histoire d'une fille prénommée Draculaura et de Monster High !